OHSAMA BUNKO

不思議なくらい
心がスーッとする断捨離

やましたひでこ

三笠書房

はじめに……ガラクタ捨てたら、人生がごきげんに！新しい世界が始まります！

この本のタイトルにある「断捨離《だんしゃり》」。

口に出してみると、〝ダンシャリ〟という、ちょっと変わった響きの言葉です。

それって何なの？　何をすることなの？

そんな問いにとても短く、簡潔に答えるなら……、

断捨離とは、「モノを捨て、片づけることで、心のガラクタもスッキリ整理し、人生をごきげんに変える方法」のこと。

もとはヨガの「断行《だんぎょう》」「捨行《しゃぎょう》」「離行《りぎょう》」という、心の執着を手放すための教えに由来します。この教えを日常に落とし込み、片づけ術として応用したものが、

私が提唱する「断捨離」なのです。

私たちの身のまわりには、知らず知らずのうちに溜まった、たくさんのモノがあります。

買ったときは大切に使おうと思っていたはずなのに、いつしかそこにあることも忘れ、やがては邪魔なガラクタになっていた……。

断捨離を実践することで、そんなガラクタを片づけ、心の中まで整理すれば、人生が〝ごきげん〟になります。

そのために最初にやることは、

「自分」に「今」必要なモノだけを残して、後はひたすら捨てる

という作業。

たったこれだけのことなのに、いざ実行していくと心がスーッと軽くなっていき、自分がパーッと解き放たれるような感覚が起こります。そして、不思議といろいろなことが起こり始めます。

たとえば、ある二十代の女性は、自分に似合わなくなっていた古い服やバッグを捨てたら、驚くほどフットワークが軽くなり、気づいたら数年来の目標であったダイエットに成功していたそうです。

また、ある三十代の男性は、「これは自分に今必要かどうか」と何カ月もかけてモノと向き合い、仕分ける作業をしていくうちに、判断力や決断力が磨かれ、仕事の効率が飛躍的に上がったとか。

他にも、人間関係がスムーズになった、無駄遣いをしなくなった、思わぬチャンスが舞い込むようになった、新しい出逢いが生まれたなど、挙げればキリがないほどの「いいこと」が。

モノをしぼり込み「見える世界」を整えていくと、やがて自分の心の中や運気といった「見えない世界」にまでその影響が及んでいく。

その結果、就職や転職、結婚など、人生がガラリと変わるような転機までも訪れることがあります。まるで、〝つまり〟が取れて、せき止められていた人生がとてもスムーズに流れ出したかのような、自然な変化として。

本書は、これから「断捨離」という新しい世界を覗《のぞ》いてみようという方に向けた、究極の「ベーシック版」です。

今すぐ周囲にあるガラクタを、ひとつでも捨ててみる。まずはそこが出発点。

新しい世界が今、ここから始まります。

やましたひでこ

もくじ

1章 「断捨離」って、いったいどんなもの？
——心の中までスーッとする「新・片づけ術」

2章

サッパリとガラクタを「捨てる」！
――モノを減らせば、空間も心も快適に！

3章

キッパリとモノを「断つ」！

――「選ぶ力」をつける習慣

4章 スッパリと執着から「離れる」！
──自由で快活、さわやかな自分に！

5章

「断捨離」で、こんな〝いいこと〟やってくる！

——恋愛、お金、仕事、人間関係……うれしい変化、続々！

コラム

編集協力　清水きよみ
本文イラスト　カツヤマケイコ

1章

「断捨離」って、いったいどんなもの？

——心の中までスーッとする「新・片づけ術」

断捨離は、整理・収納術ではありません

いきなりですが、白状します。

以前の私は、片づけが上手ではありませんでした。折しも収納術が大ブームの中、収納グッズを大量に買い込んで、モノを出したり、入れたりするのに精を出していました。しかし、一時的には片づくものの、ふと気づけば、また散らかっている……その繰り返しだったのです。

収納術は、私には無理。合っていない。

では、どうしたらスッキリと片づけられるのだろうと、モノと悪戦苦闘して

いるうちに、だんだんと、

「何をこんなに収納するのだろう？」

「これって苦労して収納するべきモノなの？」

という疑問がわき起こってきました。

＊モノが少なければ、「面倒なこと」は必要なし！

そんな、片づけても、片づけても、片づかない毎日だったころ、高野山の宿《しゅく》坊《ぼう》に泊まる機会がありました。

お坊さんたちの極めてシンプルな生活を目の当たりにして、ハタと気づきました。

「モノは少なくても生活できる」ということに。

そして、**「空間のゆとり」が「気持ちのゆとり」にもつながる**ということにも。

いらないモノは捨てよう！
モノが少なければ、収納する必要もなくなる！

私の中で、新しいスイッチが入った瞬間でした。

同じころ、学生時代にヨガ道場で学んだ、「断行」「捨行」「離行」という教えが頭によみがえりました。

そもそも、この教えは、心の執着を「断つ」「捨てる」「離れる」という、とてもハイレベルな修行です。

「心の執着」をいきなり「断捨離」することは難しい。けれど、クローゼットの中にあるモノへの執着を「断捨離」することなら自分にもできるかもしれない！

こうして、自分にはレベルが高すぎると思っていた**心の修行法が、「日常生活」にスーッと落とし込まれた**のでした。

＊「部屋」が変わると、「心」も変わる

これまで、「整理」や「収納」「掃除」に挫折した人でも「断捨離ならできた！」という方は多いのです。

それって、ある意味、当然！

なぜなら断捨離は部屋をキレイにするだけではなく、それによって自分の心まで快適になっていく、愉《たの》しい作業なのですから。

断捨離の目的は、「部屋を片づけること」ではありません。

では、「片づけ」の目的とは？

それは、自分が快適だと感じる環境に身を置けるようにすること。その目的があって、それを実現させる手段として「断捨離」があるのです。

一にも二にも大事なのは、自分が「快適で気持ちいい」と思う毎日を過ごす

こと。ここをお忘れなく。

断捨離をして、不必要なモノを手放し、お気に入りのモノばかりに囲まれた生活を始めると、毎日が〝ごきげん〟になります。

だからでしょうか、断捨離をすると皆さん、表情がイキイキと輝き出すのです。

部屋が変わると、心も変わる。

部屋がキレイになるほど、心もキレイになる。

忙しい毎日で片づけをする余裕がないという方も、急がず、自分のペースでやっていけばいいのです。

小さな積み重ねが、やがては自然と笑顔になれる、大きな心のゆとりへとつながっていくのです。

まずは、何から手をつければいいの？

「部屋をキレイにしよう」と思ったとき、あなたは何から手をつけますか？
部屋をキレイにする方法と言えば、「片づけ」「収納」「掃除」ですね。
ではこの三つ、何がどう違うのか？
よくセットで語られますが、実はそれぞれまったく異なります。

収納というのは、「モノを所定の場所にしまう」こと。
掃除は、「掃《は》く・拭《ふ》く・磨く」ことです。
一方、片づけとは「片をつける」こと。つまり、**使わないモノと決着をつけ、**

きっちり始末をつけるということです。

意外と多くの方が、「片づけは、家の中の散らかったモノを元の場所に戻すこと」ととらえています。それも片づけの一部ではあるかもしれません。けれど、断捨離の定義する「片づけ」は、それとはまったく違います。

断捨離の片づけとは、
必要なモノをしぼり込むこと。
必要のないモノを住まいという空間から取り除くこと。

ですから、リビングにある不要なモノを、押入れやタンスにしまって「見えないようにする」ことは片づけとは言いません。それは「モノを移動した」だけの話です。

＊「もったいない」「いつか使うかも」とは縁を切る

片づけるにはまず、自分にとって不要・不適・不快なモノを「捨てる」ことです。

そうは言っても、もったいないし、いつか使うかもしれないから、なんとか捨てないで片づけたい。

そんなふうに思っていては、いつまで経ってもキレイに片づくことはありません。

あふれかえるほど大量にあるモノを減らさない限りは、収納もしきれません。

さらに、モノが多いと収納するための棚やケースが必要になり、あれもこれもと購入してしまい、ますますモノが増えていくことになります。

また、モノがたくさんあれば、掃除をするのにも目の前にあるたくさんのモノをどかさなければならず、大変な作業になってしまいます。

自分のまわりの空間をキレイにするには、まずモノの量を減らすこと。モノを捨てることさえできれば、自然と片づいていきます。

その最大の理由は、**モノの量が減ると、どうやって収納したらいいのかを考える必要がなくなる**からです。

＊モノが減ると、片づけも掃除もラクになる

タンス、棚、引き出しなどにゆとりが生まれると、モノの出し入れもしやすく、元に戻すのも簡単になります。すると、わざわざ「整理しなくちゃ」とプレッシャーを感じる前に、ささっと整えることができます。

想像してみてください。ゆとりのあるクローゼットなら、片手でスッと服をかけることも、取り出すこともできますよね。

ギュウ
ギュウ
わーん！春物のジャケット
見つからない〜!!
スッキリ
あった〜!!
スグに見つけられる!!

モノが減れば、掃除機をかけるのもラクラク。それに、床や棚にあるほこりや汚れも目立つようになるので、気づいたときにちょこちょこ拭いたり、掃いたりするようになります。それも、とっても手軽に！

モノがなくなり、これまで隠れていた床やテーブルの面が見えるようになると、ごく自然に「キレイにしよう！」という気持ちが芽生えてくるもの。「いい加減、部屋を掃除しないと」というストレスもなくなります。

断捨離は、「片づけない片づけ方」を実践します。

片づけなくてはいけないモノは、私たちを悩ませるやっかいな敵。そこにあるだけでも、不快な存在です。

部屋の中に残しておくのは、自分を快適にさせる「味方」のモノだけ。

部屋がいつまでも片づかない、収納や掃除は苦手……。

そんな人ほど、どんどん断捨離して、モノをしぼり込んでいくことです。

まずは、自分のすぐ近くにあるガラクタひとつから。

住まいの主役は「モノ」？ それとも「自分」？

私たちは、よくも悪くも現状に慣れるものです。

それがどんなにガラクタでいっぱいの、雑然とした部屋だとしても、毎日、そこで生活していたら、やがてはその状態が当たり前になり、居心地の悪さも感じなくなっていきます。

そこで、実際に断捨離を始める前に、現在の自分の部屋がどうなっているのか、どのくらい断捨離を必要としているのか、29ページの表でチェックします。

三つ以上、チェックがついたら、部屋にはかなりのモノがあふれているはず。

五つ以上、チェックがついた人は、今日からさっそく断捨離を始める必要があります。

断捨離は、健康と安全、安心と元気、爽快感と解放感に満ちた場所に身を置くことを目的としています。

もっと簡単に言うと、**どんなに疲れて帰ってきても、その場にいると自然とパワーが充電できて、元気がわいてくる場づくりをする手段が、「断捨離」**です。

＊なんとなく「イライラ」「だるい」……その原因は？

一方、ごたごたした部屋にいると、私たちにはどんな影響があると思いますか？

大量のモノによって、くつろげる空間が奪われ、自分はわずかなスペースに追いやられている。

お部屋の「ごたごた度」がひと目でわかるチェックポイント

――モノが溜まる、危険なシグナル――

□ 掃除や片づけをしようと思っても、どこから手をつけていいのかわからない

□ 部屋の中でモノが見つからずに、困ることがよくある

□ 片づけというと、とりあえず引き出しにモノを押し込んでしまう

□ セール品、最後の一品があったら、思わず「衝動買い」する

□「もらえるモノはもらっておく」タイプだ

□「後で何か役に立つかも」とモノを取っておくことが多い

□ 思い出の品やプレゼントは、なかなか捨てられない

すると、疲れが取れないままになったり、目の前の汚れを見て、「キレイにしなくちゃ」「また今日も掃除できなかった」という自分で自分を責めるパターンに。

疲れて、イライラして、いつも心のどこかが苦しい……。

モノがあふれて片づいていないということは、**その住まいの主役が「自分」ではなく「モノ」**になっているということです。

モノが主役になっている場所というのは、人から「やる気」と「決断力」を奪います。片づけや掃除をしようと思っても、何から手をつけていいのかわからない、そんな気持ちになります。

そして、自分にとってふさわしくないモノを、いつまでも居座らせてしまうのです。

また、必要なときに必要なモノがなかなか見つからないので、探すためのエネルギーや時間も常に消耗します。

＊〝勝手に入ってくるモノ〟が部屋にあふれていませんか？

そもそも、なぜこんなにも部屋にモノがあふれてしまうのでしょうか。

きっと誰もが、溜め込もう、溜め込もうとしたのではなく、「気づいたら、こんなにあった」という感じに違いありません。

でも、そうなってしまったのは、その人が全部悪いわけではありません。

現代の日本で暮らしていれば、モノが増えていくのは当たり前。

道を歩けば、タダでティッシュを配っているし、コンビニでお弁当を買えばお箸やスプーンがついてくる。

なんとなく、もらえるモノはもらっておかないと損、という気分になっていきます。

それに「後で何かの役に立つかも」と、お惣菜《そうざい》やお菓子についてくる保冷剤をついつい溜め込んでしまったり。

セール品や、最後の一品と言われれば、そんなにほしいモノでなくても思わず衝動買いしたくもなりますし、インターネット上にも通販サイトなど、つい買いたくなる仕掛けがいっぱいです。


いかがですか？「自分もそうかも」と思い当たるフシがあるのではないでしょうか。

私たちの日常は、うっかりしていると〝モノが勝手に入ってくる世界〟。ですから、無自覚にもらったり、買ったりしていると、片づけに困るほどモノが増え、いつしか自分の住まいがモノに占領されてしまうのです。

＊「管理できる量」まで減らせばキレイに片づく

部屋を片づけることができず、「自分はダメな人間かも」「片づけをする能力がない」と思っているとしたら、それは誤解です。

自分の部屋が片づかないのは、単に〝管理できる量以上のモノがある〟から。断捨離をして、管理できる量まで減らせば、ちゃんとキレイに片づきます。

いきなり百キロのバーベルを持ち上げることはできませんよね。それと同じで、モノを減らさないまま、管理できる量以上のモノを片づけようと挑戦しても、失敗するのは当たり前。

片づけられる量までモノを減らすこと（＝ガラクタを捨てること）で、自分の部屋は心地いい空間に生まれ変わります。

乱雑な部屋であればあるほど、断捨離をしたとき、驚くほどの爽快感を味わうことができるのです。

「突然のお客さん」——すぐ部屋に通せますか？

先ほど、「ごたごたした空間はエネルギーを奪う」とお話ししました。
実はもうひとつ、大事なものを奪っていきます。
それは、自分に対する信頼感、つまり「自信」です。

部屋のあちこちに積み上げられたり、押し込まれたりした大量のモノ。
それを見るたび、「今は使わないけど、いつか使うから」「もう捨てたいけど捨てられない」と後ろめたく思っていたら、やがては自分に対する不信感に変わります。

モノを人に置き換えてみると、わかりやすいかもしれません。

部屋にモノをほったらかしにしておくことは、あまり親しくない知人に「また今度ゆっくりお話ししましょう」とその場限りの約束を重ねるようなもの。自分がもし、モノの立場だったら、どんな気持ちになるでしょうか。

使わないモノを部屋の中に放っておくとは、こういうことなのです。

捨てようと思った、使おうと思った、片づけようと思った。そんな「先送り」の状態では、自分への信頼、自信を失うばかり。

しかし、そこから一歩踏み出して部屋を少しでも片づけると、自分に対する評価もこれまでの減点法から「今日はできた！」と加点法に切り替わるのです。

＊「キレイな部屋」こそ〝自信〟になる

部屋を片づけたいという方の多くは、心のどこかに**「自信を持ちたい」という願い**を抱いています。

最初は「部屋をキレイにすることが目標です」と言っていたOLのチカさんもそのひとりでした。よくよく話を聞いてみると、

「私は何をやってもダメで、資格を取って自信をつけようと思ったのですが、いくら頑張っても自信にはなりません」

と、伏し目がちに話していました。

ところが断捨離を始めて数カ月後、再び会ったチカさんは、見違えるほど堂々としていました。彼女は、こちらをまっすぐ見ながら、

「あれから部屋のガラクタを捨てました。**友人を家に招けるということは、こんなにも自信になるんですね。**これからは何でもできるような気がします」

と、キラキラした笑顔で話してくれました。

＊人生という「道」を快適にドライブするために

基本的に、散らかしっ放しの部屋にいると、自己否定や自己卑下のエネルギ

ーを自分に浴びせることになります。

心のどこかで自分のことを恥じるところがあると、「どうせ自分はこの程度なんだ」と、自己評価を引き下げてしまったりするのです。

そのあげく、乱雑な部屋が居心地がいい、自分に合っているなどと思うようになるのです。


自分を否定しているということは、ブレーキをかけながら、人生という道をドライブしているようなもの。果たしてそんなドライブが気持ちいいでしょうか。

心にブレーキをかけているかどうかは、自分で気づくことができます。そして、それに気づいて解除してあげるのは、他の誰でもない自分なのです。

モノも気持ちも「新陳代謝」が大切

考えてみると、時間というのは常に「今」の連続です。

かつてはお気に入りだったモノも、「今の自分にとって必要か」と考えてみると、すでに色あせた過去のモノに変わっていることもあります。

都内に住むトモコさんの部屋には、以前おつき合いをしていた男性からもらったぬいぐるみがいっぱい。とても大好きなキャラクターで、ずっと大事にしていたそうです。おつき合いが続いていたころは、それを見るたびに幸せを感じ、愛されているという自信になっていました。

ところが、別れたころから次第にそのぬいぐるみを見るのがつらくなっていきました。「つき合っていたときは、あんなに幸せだったのに、それに比べて今は……」と過去の自分と比べて、気持ちが沈んでしまうと言います。

＊モノには「思い」が宿っている

モノが与える影響は、本人が自覚しているよりずっと大きいものです。

以前は好きだったモノや自信を与えてくれていたモノでも、この先もずっとプラスの影響を与えてくれるとは限りません。

モノには私たちの「思い」が宿っており、それを見たりすることで、その「思い」がよみがえってきます。「感情が体に与える影響」が医学的にも証明されているように、心と体はつながっています。

つまり、あるモノを目にすることで抱くのが、プラスの感情であれば問題ありませんが、もしマイナスの感情がわいてくるのであれば、体調にも悪影響が出かねません。

また、壊れたモノやほこりまみれのモノなど、機能していないのに放置されているモノも、暴力的な言葉を浴びせてくるかのように、じわじわとダメージを与えてきます。

＊キーワードは「今・ここ・自分」

「不要・不適・不快」なモノを、いつまでも身のまわりに置いておいてはいけません。

常に**「今」という時間軸にそって、「必要・適切・快適」なモノだけが残るように取捨選択していく**こと。

今の自分に必要でないモノをきっぱりと捨てると、身のまわりも心もスッキリします。それは、**モノも気持ちも「新陳代謝」できる**ということなのです。

先ほどのトモコさんは、断捨離の本を読んだ翌日、ぬいぐるみと、それが置かれていたラックにあったモノをすべて捨てたそうです。

なぜそうしたかというと、いつの間にかぬいぐるみを隠すように、ラックには使わなくなったストールや紙袋、小物類が積み重なっていたからだとか。

その状態を改めて見て、「これほどまでに見るのがつらいモノに変わっていたなんて」と、驚いたそうです。

マイナスの影響を与えるモノを一掃したラックに今飾られているのは、今の自分が気に入っている、ほんの数点だけ。

毎日そのスペースを見るたびに、自然と心がスーッとして、前向きに過ごせるようになったそうです。

お気に入りのモノに囲まれた生活は、心と体を〝ごきげん〟にしてくれます。

だからこそ、自分の身のまわりの代謝を促し、どんどんモノを入れ替えていくことが大切なのです。

DANSHARI column 1

「片づけられない」――まずはこの言葉を断捨離！

さて、質問です。

あなたは「片づけられる人」ですか？　それとも「片づけられない人」ですか？

驚くかもしれませんが、断捨離の考えでは、**「片づけられない人」は一人もいません。**

片づけ「られない」という、この言葉。よくよく考えてみると、まるで自分で自分を型に押し込んでいるみたいです。

こうした言葉を口にする人は、みんな「～られない」のではなく、本当は「～したくない」のではないかと思うことがあります。

たとえば、「私は断れない人なんです。頼まれるとイヤと言えないタイプで、結局なんでも引き受けることになってしまいます」という人、よくいますよね。

でも本音は「だって、自分だったら断られたくないもん。私は傷つくのがイヤなんだもん」ということだったりします。

自分が断られるのがイヤだから、断れない。私は断らないのだから、あなたも断ったりしないでね、という発想です。

「～られない」という思い込みは、自分自身のやる気やモチベーションを奪い、ひいては自分で自分を傷つける、心のガラクタ。まず捨てるべきは、その間違った思い込みです。

まずは、こう居直ります。

「お部屋の中にある、たくさんのモノを片づけることができないのは、単に片づかない状況が自分のまわりに展開しているだけのこと」

そして今日からは、いらないモノをひとつ手放すたびに、自分に自信が戻るイメージに切り替えてみます。

本来の自分は、キレイに整った部屋が似合うはず。

部屋の中に溜まってしまった大量のモノを少しずつ取り除いていけば、空間も自分も軽やかになるのです。

2章

サッパリとガラクタを「捨てる」！

――モノを減らせば、空間も心も快適に！

すべては「捨」から始まる

そろそろ実践に移っていきます。
ではここで改めて、断捨離でやることと、その目的を整理してみます。

断捨離でやることは、

「断」＝いらないモノが入ってくるのを断つ
「捨」＝家に溜まったガラクタを捨てる

この二つを繰り返していき、最後にたどり着くのが、

「離」＝モノに対する執着から離れ、ゆとりある〝自在〟の空間にいる

言葉の順番でいくと、「断」から始まっていますが、実際は「捨」がスタート地点。つまり、「捨」→「断」→「離」になります。

＊「喜んで手放す」と、いいこと続々！

ガラクタを捨てる。

これだけ聞くと、とても簡単そうですが、最初は思わぬ壁にぶつかることがあります。

これまでの生活では、モノを「捨てる」というより「しまう、取っておく」

という意識が強く働いています。そのため、いらなくなった古い服をいざ捨てようとしても、「もったいないかな」「まだ着られるよね」と、取っておくことを〝なんとなく〟選択しがちになります。

最初から何の抵抗感もなく、スッパリ捨てられる人がいる一方で、「捨てる」という一歩を踏み出すまでに、相当な時間がかかる人もいます。

後者の場合、時間をかけて刻み込まれた意識が抵抗してくるので、思っている以上にやっかいです。

モノを大事にしなさい、というのは小さいころから誰もが言われてきたことです。

まったくもって、その通り。

けれど、モノを雑然とした状態で放置しておくことは、モノを大事にしていることにはなりません。それどころか、住まいが大きなゴミ箱になっていて、そこに「棄《す》てている」ようなものです。

「棄てる」の意味は、「打ち棄てる」「ほっぽらかしておく」ということ。もう使わない、着ないのに押入れや引き出しに放っておくことです。

一方、断捨離の「捨てる」は仏教用語である「喜捨」の「捨」です。もともと、そこには「施す」という意味も含まれているので、「私はもう十分なので、誰か別の人のために役立ててください」という思いがこめられている感じがします。

＊「捨ててもいい」と自分に許可を出す

断捨離によってモノを捨てるのは、住まいの中から、

「不要（もういらない）」
「不適（今の自分に適していない）」
「不快（心地よくない）」

という、自分にとってお役目の終わったモノを始末したり、必要とされる場

や人のもとで生き返らせたりすることです。

そして、モノによって奪われていたスペースやエネルギーを取り戻し、軽やかな住まいと本来の自分を取り戻すことが目的です。


明け暮れモノを捨てることが、断捨離ではありません。


最初は、捨てることに対する抵抗感が襲ってくるかもしれません。

でも、ここが頑張りどころ。

「もったいない」「まだ使えるかも」という迷いと格闘しつつも、捨て始めさえすれば、不思議といるモノ、いらないモノの判断がどんどんスピードアップしていきます。

それは、捨てるという作業を繰り返していくことで、モノを断つという、次の段階も同時に進んでいくからです。

モノは使ってこそ

モノは、今この時、必要とされるところへ
モノは、あるべきところにあって、美しい

これは、断捨離の基本となる、モノとの関係の定義です。

もはや必要でなくなったモノを捨てることに対しては、「捨ててもいいんだよ」と自分の意識を切り替えていく。

これは難しいことではありません。心のストッパーを外すだけのことです。

まずは一歩踏み出すこと。

実践あるのみです！

「面倒だから」――その考えが〝つまり〟を生む！

いざモノを捨てようと部屋の中を見回してみると、自分でも「なぜ取ってあるのか」と思うモノが不思議とあるものです。

もう明らかに使わないし、はっきり言って邪魔。なのに捨てない理由は、ひとえに「面倒だから」です。

物理的に重かったり、動かすのが大変だったりしたら、それを捨てる作業を考えただけで、「はぁ～」と大きなため息が出ます。

粗大ゴミは捨てる日が決められていますし、お金もかかります。普通のゴミより手間がかかり、はるかに大変。

小さいモノでも同じです。文房具のバインダーひとつとってみても、金具を外して、中のビニールと分離して……なんて分別を考え出すと、元の棚に戻してしまうほうがラク、となりがちです。

誰だって、面倒なことや、わずらわしいことは後回しにしたくなります。そうやって、ガラクタはいつまでも部屋の中に残るのです。

＊大変！　部屋の中に〝悪玉菌〟が発生中!?

長い間、部屋の中でじーっと動くことのないガラクタ。それは人間の体にたとえれば、まるで便秘のようなものです。出してしまえばスッキリするのに、いつまでもお腹の中でつまっている。実際に、便秘のときは体は重いし、気分もとても憂うつですよね。

便秘にしろ、ガラクタでいっぱいの部屋にしろ、その「つまった」状態が慢性化してしまうと、いつしかそのことを何とも思わなくなってしまいます。

別の言い方をすると、**不快な物事を不快として感じる回路まで鈍ってしまう**ということです。

さらに、これが長く続くと、体内で悪玉菌がどんどん増殖して、体全体に悪影響が及びます。

それと同じように、部屋のガラクタから出る悪いエネルギーは、いつしか心に働きかけて、前向きなパワーを私たちからどんどん奪っていくのです。

ガラクタを捨てるのは面倒、置けるスペースもあるから、とりあえず置いておくという考え方は、「いっぱい食べてもトイレに行くな」と言うようなものです。

爽快な毎日を過ごすには、「つまりの解消」が先決です。どんなに栄養のある食品をとっても、不要物を排泄《はいせつ》してからでなければ、何ひとつ体によい効果は得られません。

部屋もまず「つまり」の原因となるガラクタを外へ出してからでなければ、収納しても、掃除をしても、キレイになることはないのです。

「思い」も、放っておくと「重い」になる

プレゼントや、思い出の品など、「思いのこもったモノ」を捨てることには誰しもためらいを覚えます。そのモノを見ると、相手の顔や思い出の情景が浮かんできて、「思いのこもったモノを捨てる＝相手の思いまで無下《むげ》にする」と、考えてしまいがちです。

たとえば、過去にもらった手紙。

相手と一緒に過ごした思い出や、交わした言葉など、手紙を見るたびに思い出されます。でも、送った側はどうでしょう？　自分が誰かに送った手紙につ

いては、それほど覚えていないはずです。

ここで一番大事なのは、「思い」であり、気持ちです。

手紙など、**気持ちがこもったモノというのは、あくまで気持ちを伝えるツール。**ですから、気持ちを十分に受け取ったら、いつまでもモノにこだわる必要はないのです。

＊「感謝・謝罪の言葉」といっしょに手放す

断捨離では、モノを捨てるときに「ありがとう」や「ごめんなさい」と、感謝や謝罪の言葉を口にします。それは、モノに語りかけることで、早く気持ちの整理がつくからです。

人からいただいたモノや、長年愛用していたモノを捨てるときには「ありがとう」。そして、使いきれずに捨てるモノには「ごめんなさい」。

思いのこもったモノの処分の仕方がわからないために、そのままにしているというケースはとても多いのです。

その場合は、感謝や謝罪の気持ちを言葉にしてみると、不思議とスッキリした気持ちになって手放すことができます。

＊モノの手放し方・3つの方法

ここまで読んでも、どうしても捨てるのが忍びないという方もいるはずです。その場合は、別の方法で手放すという選択肢もあります。

モノの手放し方は主に三通りあります。

①捨てる
②誰かにあげる（譲る・売る・寄付する）
③リサイクル・リユース・リメイクする

ただし、この三つの手放し方は、難易度が異なります。①より②、そして③と難易度はだんだん上がっていきます。

②の場合は、「誰か」という相手がいますから、もらってもらうにしても、売るにしても、相手側の気持ちや条件をうかがってからでなければできません。

③は社会的な流れからしても理想的ですが、これは断捨離の経験をたくさん積んだ上級者向きの方法と言えるでしょう。

思いのこもったモノに向き合うときは、手放し方よりも自分の「心の整理」が一番のカギとなります。

捨てる以外の方法を選択して、それが簡単にできればいいのですが、そうでないなら二重に心の負担になるというのも事実。初心者は捨て方に気を取られて、結局何も捨てられないということに気をつけていきます。

モノに対する「心の整理」をつけて、最大限の感謝をしたら、後はスッパリ断ちきる。これが、〝捨てる極意〟なのです。

まずは「かける時間」と「片づける場所」を決める

「私もガラクタを捨ててスッキリしよう！」

そう決意するのはいいのですが、「どこから手をつけるか」に、気をつける必要があります。

いきなり〝部屋をまるごと、やっちゃおう〟と、勢いだけで手をつけると、途中でエネルギー切れになったり、やり始めてすぐに気が重くなって挫折したりします。

すると、結局どこもスッキリしないどころか、かえって乱雑さが増してしまうことも。

部屋をまるごとやるには、時間も相当かかります。ですから、やはり**最初は短い時間で終わるところから手をつけるのがコツ**です。

今日はどのくらい断捨離に時間を使えるのか。三十分なのか、半日なのか、まず時間を決めてから、場所を決めると、迷わず手をつけられます。

＊「簡単なモノ、自分のモノ」から始める

普段ランニングをしていない人が、いきなりフルマラソンを走っても、完走できないでしょう。断捨離も同じです。

十五分のジョギング程度の、最初は無理なくできる簡単なところから手をつけていきます。きっと、何とかしたいモノはいっぱいあるでしょうが、〝どこからどう見てもゴミ〟だと思えるモノから捨てていくと、すんなり片づけていけるため、気持ちもラクです。

もうひとつのポイントは、「自分のモノだけがあるスペース」から始めること。

たとえば、家族と一緒に住んでいたら、リビングには自分のモノだけでなく、パートナーや子どもなど、家族のモノもあるはずです。

他の人のモノのほうが簡単に捨てることができる場合もあるのですが、実際にやるとなると、いちいち捨ててもいいか確認したりと、手間が増えてハードルが高くなります。

＊「財布のダイエット」からでもOK

では、具体的にどこから始めるといいのかというと、たとえばお財布。とても小さな入れ物なのに、中にはたくさんのモノがつめ込まれて、パンパンに膨らんでいませんか?

不要なレシートや領収書、もう何カ月も使っていないポイントカード、期限の切れた割引券など、そういうモノを捨てるだけで見た目も気分もスッキリします。

実際にお財布の断捨離から始めた、女子大生のサトコさんは、

「お財布なんて簡単すぎると思っていましたが、いざ断捨離を始めると意外と考えちゃうんです。ポイントカード一枚捨てるのにも、ためらってしまったり。だから、レシートなど紙のモノは迷わず捨てようと思ってやったら、それだけでちょっとした達成感が得られて、私もやればできるじゃん、って思えました」

と話してくれました。

このプチ達成感が次へのモチベーションになり、やがては大きな成果につながるのです。

試験問題でも、いきなり難しい問題から解こうとしたら、時間が足りなくな

り、解けないままで終わってしまいます。

でも、簡単な問題から手をつければ、ある程度の点数が取れるはずです。断捨離も同じ。その出来が最初は三十点だったとしても、少しずつ足し算していくことで、やがては五十点、六十点の出来になり、いつしか百点にも達します。

＊少しずつ、無理をしない

もちろん、人によって持っているエネルギーの量は違いますから、「今日は一日かけて一気にやろう」という方法が合っている人もいます。

ただ、その場合でも、棚の一部を十五分、机の引き出しを三十分、クローゼットを一時間など、取り組みやすい時間と場所を設定して、一カ所ができたら次、また次へとつなげていくのがベターです。

もし、途中で疲れてしまったら、その日はそこで終了。また別の日にするとしても、「机の引き出しはできた」「棚の一部は終わっている」というプチ達成感があるので、次もやる気とエネルギーがわいてきます。

断捨離で大事なのは、小さな作業を継続的に繰り返し、積み重ねていくこと。

一度に捨てたモノの量ではありません。

捨てたときの「プチ達成感」を心の栄養源にしていくと、部屋がキレイになるのはもちろん、自分への信頼感が高まり、自分を好きになっていきます。この「プラスの連鎖反応」が、断捨離の素晴らしい作用のひとつです。

まずは一カ所、いつでも自分が達成感にひたれる「〝快〟スペース」を完成させる。そして、それをどんどん増やしていくのです。

決して焦らず、自分のペースとスタイルを守りながら。

「なぜか、手放せない」には理由がある

「もったいない」「いつか使うかも」といった、モノを溜め込む言い訳の裏側には、必ず何かしらの理由が隠れています。その理由に向き合うことを避けているために、いつまでもモノを手放せないのです。

これまでセミナーや講演会を通じて、モノで悩むたくさんの人たちと出逢ってきました。そのうち、ガラクタを溜め込む人には三つのタイプがあるのではないか、と思い至りました。

もちろん、必ずどれか一つに当てはまるというわけではなく、いくつかのタ

イプが複合しているケースもあります。

モノと向き合うことは、自分と向き合うことです。

なぜ捨てられないのか、なぜ取ってあるのかを考えていくと、意外な自分の内面が見えてくるのです。

次の三タイプを比べてみて、自分はどの傾向が強いのかを知ることが、不要なモノを「捨てる」大事なステップになります。

＊つい溜め込んでしまう人「3つのタイプ」

○現実逃避型

現実逃避型の人は、とにかく毎日が忙しく、家にいる時間が圧倒的に少ないことが特徴です。

その背景には、家庭の問題など、家にいたくない理由があることも多く、家が散らかっているので、余計に帰りたくなくなるという悪循環に陥ってしまうこともあります。

いずれにせよ、家にいたくない理由を直視することを避けているのが、片づかない理由です。

友人との会食やサークル活動、ボランティアなどで忙しいＯＬや主婦、会社帰りは必ず飲み歩き、休日は趣味で外出続きという男性は、このタイプに当てはまりやすいはずです。

○過去執着型

今はもう使うことのない、過去の思い出の品を取っておくのが特徴。かつての幸せだった時期への執着やこだわりが強く、免状や賞状、アルバムなどを大事に保管しています。

もちろん過去の思い出の品を取っておくこと自体は悪いことではありません。ただ、過去執着型の人の場合は、その量が明らかに多く、それが原因で連鎖的

モノを溜め込みやすい「3つのタイプ」

現実逃避型

未来不安型

過去執着型

に他のモノまで捨てられないということもあります。

現実に目を向けると過去と比べて落ち込むため、「今」を避けているという点では、現実逃避型の要素を含んでいるとも言えます。傾向として、男性に多くみられます。

○未来不安型

モノのない未来への不安を、モノで埋めるという特徴があります。

たとえば、トイレットペーパーや日用品、インスタント食品を、すでにストックがあるのに、特売やセールのたびに「いつか、そのうち必要だから」と買い込んでしまったり。

また「普段よく使うから、なくなったら困る」「こんなに安いなら、買っておかないと損だ」という、一種の強迫観念を抱いていることもあります。

三タイプの中でもっとも該当者が多いのが、このタイプです。

「使える」と「使う」はまったく別物！

断捨離というのは、シンプルなメソッドです。

その第一段階は「捨てる」を実践するのみ。では、その捨てるモノとは？

それは不要・不適・不快なモノです。

それでは、これらはどんなモノでしょうか。汚れたり、破れたり、壊れたりした「使えない」モノだけですか？

実際にセミナーの受講生さんや読者の方から「捨てたモノ」としてよく聞くのは、いつの間にか溜め込んでいた保冷剤やボールペン、使っていない日用品やバブル時代の高級スーツなど、その多くが**「使える」**のに**「使っていない」**

モノでした。

＊「使えるけど、使わない」なら意味がない

捨てるモノを選別するには、**「自分が使うか」という基準でモノと向き合うこと。**

ここに、私が使っているメガネがあるとします。これをあなたに「どうぞ使ってください」と言ったら、あなたは使いますか？　レンズの度数も違えば、センスも違う。

だから、このメガネは使えるモノではあるけれど、決して使わないモノです。

つまり、**「使える」モノと「自分が使う」モノとは違う**わけです。

いかがですか？

自分の部屋にも、もう使うことはないのに、使えるというだけで取ってあるモノがありませんか？

たとえば、ブティックでもらった紙袋。使えるけれど、使いたいかといえばそうでもない。でも、まだ使えるモノなのだから「捨てるにはもったいない」という、この心理。

他にも、化粧品の試供品、ほとんど使っていない調味料、無料でもらったボールペンやホテルでもらった歯ブラシなどが、収納ケースいっぱいになっていませんか？

先ほどのメガネの例でわかるように、本来、**モノは「私が使う」から意味があるのです。**

ところが、私たちの多くは、知らず知らずのうちに「紙袋は使える」「試供品は使える」というように、「モノ」が主語になってしまっています。

こうした「使えるけど、使わない」モノは、どれも厳選したとは言い難いレベルのモノ。生鮮食品のように腐ってしまうことがないので放置しがちですが、機能はすでに腐ったも同然です。

＊「モノ」から「自分」にピントを合わせる

モノを捨てる理由は、モノ自体にはありません。

なぜなら、すべて「使える」から。壊れていたって、修理をしたら、また使えるかもしれません。

つまり、**モノに焦点を合わせている限りは、ガラクタだとは思えないし、捨てる理由も見つからない**ということです。

でも、「使える」モノを抱え込んで、家の中はどうなっているのでしょうか。心地よくいられますか。そうでないなら、合わせるべき焦点は「自分自身」です。

断捨離は、いろんなことに〝気づく〟回路をつくるツールでもあります。使えるモノではなく、「使う自分」の存在に気づく。モノを取捨選択するときには、常に主語が「自分」になっているかを意識することです。

モノ「が」使えるだけで取っておいていないか。
私「が」使いたいと思うモノを残しているか。

こんなふうに何度も繰り返して、モノと向き合っていくうちに、いつしかすんなりとガラクタか否かを判断できるようになっていくのです。

それは「今の自分」にふさわしいモノ？

「自分」という軸に加えて、さらにもうひとつ、モノの量をコントロールする大事なポイントがあります。

それは、「今」という時間軸です。

「自分」と「今」という二つの軸にそってモノを選択していくと、モノとの関係にどんな変化が起こるのか。

それを人間関係に置き換えて、わかりやすくお話ししていきます。

「使える」というだけで、部屋のどこかに放られている「使わない」モノは、人間にたとえるなら、「知らないおじさん」です。

「あれ、こんなところにこんなモノがあった」というのは、「あれ、こんなところに知らないおじさんがいる」というのと同じこと。こう考えてみると、いい気分はしませんね。

使わないモノでいっぱいの「ゴミ置き場のような部屋」というのは、まるで他人に囲まれて生活しているような状態。あっちにもこっちにも知らない人だらけなんて、落ち着いて生活できるわけがありません。

＊「あれば便利」が意外と曲者《くせもの》

「これではいけない」と自分軸にそって、「自分（私）が使っている」モノだけを残していくと、いわば、「他人の中から知人だけを残した」状態になります。この段階までくれば、かなりの進歩。モノの量も劇的に減るはずです。

そうなると、部屋の中を見回しても、もう知っている人ばかりなんだからいいじゃない、と思うかもしれません。でも、この時点では「今」というポイントがまだ組み込まれていません。

知人ばかりとなったモノの中には、ある曲者が潜んでいます。

それは**「使ってはいるけれど、なくても特に困らない」**モノです。

断捨離では、これを「お節介なおばさん」と言っています。なければないで困ることはないのに、「あると便利でしょ」と、とても親しげにおしゃべりをしてくるからです。

でも、自分の軸を取り戻してよくよく考えると、やはり「なくてもいいモノ」なのです。

＊「親友」に囲まれた空間をつくる！

なくてもいい「お節介なおばさん」と対話をしながら、「捨てる」「残す」を

「モノ」と「自分」との関係

親友レベル

大好きな、とっておきのモノ＝「親友」

友人レベル

今、自分が使っているモノ＝「友人」

知人レベル

なくても困らないモノ＝「お節介なおばさん」

他人レベル

使えるけれど、使わないモノ＝「知らないおじさん」

繰り返していくと、やっと**「今」、「自分」が使っているモノ＝「友人」**だけになります。

「今」＋「自分」という、最適なモノ選びに必要な二つの軸が揃うことで、部屋の中はよく知る人ばかりの、かなり居心地のいい状態になります。

さらに、友人の中から**大好きな、とっておきのモノ＝「親友」**を選んでいけば、自分の部屋のどこを見回しても、愉しい気分になれるはず。

今日は親友と何をしようか、どこに出かけようかと、考えるだけでもワクワクと心躍《おど》る状態になっていきます。

＊「使えるか、使えないか」ではなく「使うか、使わないか」

断捨離が目指しているのは、**モノの「新陳代謝」**です。

したがって、モノを捨てるかどうかを決める基準は、「使えるか、使えないか」ではなく、「使うか、使わないか」。

「今の自分」にとって必要・適切・快適だと思うモノは残す。
「今の自分」にとって不要・不適・不快だと思うモノは捨てる。

この軸がブレなければ、部屋の中のモノは必ず「不要・不適・不快」なモノから「必要・適切・快適」なモノへと入れ替わります。

最初は、他人レベルの中から、知人を残すだけでも十分。
それができたら、次は友人レベルを目指す。
そしてやがては親友レベルのモノだけが残るという、究極のセレクションが
実現していくはずです。

「捨てる」ことで〝自分らしさ〟を取り戻す

断捨離のセミナーに参加されたユウイチさんは、高校時代の成績表をずっと捨てられずにいました。

大学進学を機に東京で初めての独り暮らしを始めました。親元を離れて、慣れない大学生活で自信を失いそうになったとき、心のよりどころになっていたのは、高校時代の立派な成績表だったと言います。

断捨離セミナー一日目の夜、改めて自分の散らかった部屋を見回すと、なぜか成績表に目がとまり、今でもそれを持ち続けている意味を考えました。そこで浮かんできたのは、「過去の栄光」とでも言うべき成績表にしがみついている、後ろ向きな自分。

「いったい僕は誰に自分の能力を証明しようとしていたんだろう……」

そんな疑問が浮かんできて、自分を自分で認めていない、自己イメージの低さに気づきました。

そして、その途端、ユウイチさんは成績表を捨てたくてたまらなくなったと言います。

「昨日の夜、過去の成績表をすべて捨てました。成績表で自分の価値を証明しようとしていたのかもしれません。でも、『誰に対して？』と考えたら、相手は自分しかいなかった。

これからはモノに価値を決めてもらうのではなく、自分で自分を認めてあげられるような信頼関係を、自分との間に築いていきたいと思います」

過去の優秀さの証明である成績表は、ユウイチさんにとって心のよりどころでした。けれど、捨てられない本当の理由に気づくと、モノが自分を過去に縛りつけていたこともわかったのです。

＊「捨てられないモノ」はコンプレックスを映す鏡？

捨てられないモノの背景には、自分自身の弱さやコンプレックスが隠れていることが多々あります。

流行の洋服を買わずにいられない人は、誰かに素敵だと褒められたかったり、キッチン用品や食器を集める人は料理を上手につくれない不安からいい道具に頼っていたり、たくさんの本を溜め込む人は、知識が少ないことを隠したかったり……。

コンプレックスは、比較の結果、生まれます。自分と誰かを比べていることもありますし、過去と今の自分を比べていることもあります。

モノを通して、そうした「心のとらわれ」に気づくと、何らかの満たされない感覚を抱えた自分が見えてきます。

そして、「捨てよう」「捨てたい」という積極的な姿勢につながっていくのです。

〝気づき〟の力は絶大です！

モノを通して自分をより深く知り、モノを手放すことで本来の〝自分らしさ〟を取り戻す。

断捨離には、そんなことを可能にする不思議な力があるのです。

DANSHARI column 2

“他人の機嫌”より“自分のごきげん”を優先！

「人間の最大の罪は、不機嫌である」

かの有名なドイツの文豪、ゲーテの言葉です。

不機嫌——なんてイヤな心の状態でしょう。

たとえば、ご主人や奥さん、子どもなど、家族が家の中でムスッとしていたら、こちらまで気分が悪くなります。

あるいは、職場や学校に行って、上司や同僚、友人がイライラしていたら、その原因が自分にあるのかと思ってしまうこともあります。

結果、したくもないご機嫌取りをしてしまう……そんな経験はありませんか？

でも、他人の機嫌を取ったからといって、何か自分にいいことがあったでしょうか。ぐったりと疲れて、自分も不機嫌になっただけでしょう。

誰かが不機嫌だったとしても、それはその人の問題です。

ずいぶん前からまったく連絡を取っていないのに、なんとなく消せないメールアドレス、いつか見るかもと取っておいたメールの山、嫌われたくないからと断れなかった約束……他人の機嫌を取るために、これまで相当のエネルギーを使ってきませんでしたか。

だったらそのエネルギーを、今日から自分の機嫌を取ることに向けてあげて。

他人の気持ちを変えることなんて、そうそうできることではありません。

だから、出発点はいつも自分から。

断捨離で大切なことは「自分軸」。
あくまで自分が〝ごきげん〟でいることが優先です。

3章

キッパリとモノを「断つ」！

——「選ぶ力」をつける習慣

「入り口」は狭く、「出口」は広くする

私たちの住まいにモノが溜まっていく様子は、川の流れに似ています。想像してみてください。

上流からモノが流れてくる川があって、私たちはその途中にある小さなため池に住んでいます。そのため池の入り口にはモノを選ぶ「断」の水門があって、出口にはモノを捨てる「捨」の水門もあります。

現代という川の流れは勢いがよく、毎日、水門を突き破るように上流からいろいろなモノが流れ込んできます。

受け取るつもりもないのに勝手にやってくる、分厚い通販のカタログやダイレクトメール、チラシ、景品や粗品……。小さなため池は今にもあふれそうです。

毎日の生活に追われていると、ついつい水門の管理を忘れてしまいます。するとと、入り口の水門はいつしか開けっぱなしになり、逆に出口の水門には「もったいない」とか「高かったし」、「分別するのが大変」などというサビがいっぱいこびりついて、閉じたままに……。

このままでは、私たちの住まいである小さなため池は、ヘドロでいっぱいのゴミ溜めになってしまいます。

＊「もらわないと損」の意識を変える

モノを捨てるのは、ため池のゴミやサビを取り除くのと同じです。キレイな水が流れる状態にするために、とにかく捨てていく必要があるのです。

と同時に、モノが入ってくる水門の管理にも目を向ける必要があります。

ポイントは、「いらないモノを断つ」意識を持つこと。

これまでなんとなくもらっていた無料サンプルなどはもらわない。チラシや景品も断る。セール品などを必要以上に買い込まない。ホテルのアメニティグッズなどはもらってこない。

こうした意識を持つことで、自分の住まいに流れ込んでくるモノの量を減らすのです。

モノを断つ。この意識を持ち始めると、余計なモノを買ったり、もらったりすることが明らかに減っていきます。そうすると、当然ながら捨てるモノだって減っていきます。

これも日々の片づけをラクにする秘訣です。

いくらガラクタを捨てたとしても、外から大量のモノが流れ込んできたら、いつまでも終わりのない作業になってしまいます。

だからこそ、これからは「いらないモノ」は断固シャットアウト。

そして、溜まったモノはとにかく捨てることです。

この「ダブル効果」があってこそ、人生という川にもサラサラとした流れが戻ってくるのです。

「無自覚な買い物」が部屋を散らかしていた！

部屋にあるモノが多ければ多いほど、「捨」てる作業は一苦労。

けれど、その苦労を乗り越えると、モノを「断」つ作業はとてもスムーズにできるようになります。

その理由は、ひとえに「こんなに捨てるのが大変なら、モノを買うのも慎重にならなくては」と心に刻み込まれるからです。

ひとつひとつのモノと向き合い、自分とも向き合いながら、悩んで、迷って、モノを捨てていく。

そんな経験を経たからこそ訪れる、新たな境地です。

すでにお話ししているように、モノを捨てるのが大変なのは、量が多すぎるから。モノの量が増えるのは、なんでも家に持ち込んでしまうからです。

この**無自覚にモノを取り込む習慣を、今日からストップ**します。

臭いはもとから断たなきゃダメ、ということで、モノを買うときのポイントをお話しします。

＊買うタイミングは「なくなってから」「捨ててから」

「なくなったら困るから」「セールで安いから」という理由でモノを買い込むことはよくあります。

こうしてストックされたモノは、会社であればすべて「不良在庫＝借金」になります。

買うときは使うつもりでいたとしても、使わずに放置していたり、買ったことすら忘れていたり、消費期限が切れていたりしたら、結局は損をするだけです。

買い物の基本は、モノがなくなったら買う、というスタンスで。

まずは、すでに家にあるストックから消費する、それが使えないなら捨てて、いったん家にモノがない状態になってから買うことが、「ムダをなくす」ということです。

これからは**まとめ買いはやめて、時には不足も受け入れていく。**そして「その都度買う」「捨ててから買う」ことを徹底させていくのです。

＊「ほしい！」と思ったら、一呼吸置いてみる

デパートなどでショッピングをするときは、ほとんどの人がテンションが上がっている状態です。

目の前にある新しいモノに対して、「ほしい！」という欲望だけが先走って、「同じようなモノを持っているかも」「今はそれほど必要ない」という冷静かつ客観的な視点は、どこかに置き去りにされています。いわゆる衝動買いに走ってしまうのは、そのためです。

誰しも経験があることでしょうが、こうした買い物は大方が、失敗してしまうものです。

だからこそ「ほしい！」と思ったら、一呼吸置いてみる。

本当に必要なのか、買うべきなのか、そう自問してみると、正しい答えが見つかります。

面白いことに、捨てる決断ができないときも、一呼吸置くことは役に立ちます。とりあえず捨てるのをやめて、後日見直してみると、なぜか捨てることへの心理的ハードルが下がっていることもあります。

買うときのハードルは上げて、捨てるときのハードルは下げて。

買うにしても、捨てるにしても、きちんとモノと向き合う時間を持つことが大事なのです。

「7・5・1」の法則でモノの量を規制！

モノを減らすのが大切なことは理解できても、どこまで減らせばいいのか判断がつかないことがあります。

そこで断捨離では、モノの「総量規制」を提案しています。そのルールは次の三つです。

○見えない収納は7割

最近の住宅は収納スペースが充実していますが、その多くは押入れやクローゼット、引き出しなど「見えない収納」です。そして、見えない場所には、ついついモノを押し込んでしまうのが人情。

そして、見えないからと、明らかに容量オーバーなほど、ぎゅうぎゅうに押し込んでいるケースをよく目にします。

一度そうなってしまったら、開けるのも閉めるのも大変。「押入れを開けたら最後、閉まらない！」なんてこともありえます。

そこで断捨離では、**見えない収納に適した容量は七割**とし、**残り三割はモノの通り道**として空けておくことをお勧めします。

○見える収納は5割

次に「見える収納」です。ガラスの扉つきの食器棚や扉のない棚などの美的限界量は五割。

これは、高級ブティックの商品棚のイメージです。バッグや洋服がとても美しく感じられるのは、ゆとりある陳列のワザがあってこそ。

たとえブランドもののバッグであっても、棚にぎっしりと並べてあったら、

7割
1割
5割
ESS
PHOTO

モノの総量規制「7・5・1」の法則

見えない収納	7割

タンス、押入れ、クローゼット、
引き出し、冷蔵庫など

見える収納	5割

ガラスの扉つきの食器棚、本棚など

見せる収納	1割

趣味のモノを飾るスペースやお気に入りの
インテリアなどを置く水平面

素敵に見えるどころか、偽物なのではと疑ってしまうはずです。

ただし、同じ「見える収納」でも本棚やオーディオラックなど、趣味や知識に関するスペースは例外かもしれません。

ですが、今も読みたい本や聞きたいCDなど必要なモノにしぼっていくことで、五割に近づけることは可能です。

○見せる収納は1割

最後に、「見せる収納」です。見せる収納とは、趣味やお気に入りのモノや、デザイン性の高いインテリアを飾るスペースのことです。ここではモノを置くのは空間の一割程度。「そんなに少ないの?」と思うかもしれませんが、美術館を思い出してみてください。広々としたスペースに飾られた絵画。あの空間とモノの比率であってこそ、美しい展示です。

その雰囲気を自分の部屋にも取り入れることで、見違えるほどの清々しさを実感できるのです。

このように**モノの総量規制を設けると、自ずとモノを「選ぶ力」が鍛えられます。**

断捨離というのは、視点を変えてみれば、モノを選んで、選んで、選び抜くことの繰り返しで成り立っているとも言えます。

この七割、五割、一割を守って、モノを選び抜いていけば、お気に入り以外は何もない、使いやすく、心地いいスペースが整っていきます。

誰にでも「いい顔」はできない

モノを減らすためには、すでに持っているモノを捨てることはもちろん、これから手元にやってくるモノに対する意識も変える必要があります。

名古屋で洋服のリサイクルショップを営むミヨさんが二日間の断捨離セミナーに参加されたときのことです。

セミナー一日目、自己紹介の際、「不要な服や食器は私が買い取ります」と言ったミヨさんが、二日目になって、

「昨日、私が言ったことについてですが、やっぱりすべてのモノを買い取るこ

とはできません。昨日、思わずあんなふうに言ったのは、人に対していい顔をしたい自分がいたからだと気づきました。ごめんなさい」

と話し出しました。

続けて、買い取りをする際の条件と、それに合わないモノは買い取れないということもきちんと説明しました。

心なしか、ミヨさんの顔は昨日とは違う印象になっていました。

いったい、どんな心境の変化があったのでしょうか。

セミナーが進むにつれ、ミヨさんは自然と自分自身に向き合うようになりました。

五年前に現在の会社に入社し、一生懸命に働いて昇進。一カ月前には取締役という大役をまかされたものの、「自分はこの役職にふさわしくない」という自己否定感ばかりが強くなり、押しつぶされそうな毎日だったと言います。

自分らしく働くことを求めているのに、自分を認められない自分がいる。

その反動で、外からの評価を求めて、誰にでもいい顔をしてしまう自分がいたのです。

「モノを買い取ると無責任に言ったけれど、全部を受け入れることはできない。受け入れてはいけない」と気づき、自分に対しても他人に対しても、誠実であろうと強く決意するようになりました。

そのために、まず「外からの評価を求めて、モノを受け入れる」ことを「断」とう、と思ったそうです。

＊これが本当の「もったいない」の精神

断捨離をしていくと、モノに対する見方が変わります。

それは、モノを通して、それを受け入れている自分の内面が見えるようになるからです。

「モノもヒトも、愛しい」

ご縁のある、合気道の先生の言葉です。

モノと向き合い、自分とも向き合うと、そこに愛しさがわいてくる。

すると、モノを自分の手元に置く前に、「本当に必要？　本当にそのモノを活かせるの？」と立ち止まって考えるようになります。

また、いったん引き受けたなら最後まで愛しんで使おう、と思えるようになってきます。

これこそが本当の「もったいない」の精神。

モノを捨てることを避けるための免罪符ではなく、一度受け入れたら最後まで使いきる、そして始末をつけるという、本当のモノに対する愛しさを忘れないでいたいものです。

「関所」を通過させるのは〝とっておき〟だけ！

私たちはよく他人に対して「あの人はこんな人、あんな人」というイメージを持っています。その人の言葉遣いやふるまい、所有物や経歴などによって、だいたいの好みやランクのようなものを、自然と判断しています。

では、自分に対してはどうでしょうか。

実は誰もが無意識のうちに自分に対するイメージ（セルフイメージ）を抱いていると言えます。

自分のことを知るのは難しいことです。けれど、モノを通して見ると、案外くっきりと自分自身のイメージが浮かび上がってくることがあります。

そんなセルフイメージが如実《にょじつ》に表われるのが、普段使っている食器類。

たとえば、食器棚の奥に高級ブランドのカップが箱に入ったまま置いてある、なんてことはありませんか？

せっかく素敵なカップを持っているのに、なぜ使わないのか自分に尋ねたら、きっと「こんなにいいモノを普段使いするのはもったいない」「特別なときに使うために取っておく」という答えが返ってくるでしょう。

でも、この答えの本当の心理は、「自分には普段使っている欠けたマグカップで十分」「高級食器を使うレベルに自分は達していない」と自己判断しているということ。

このように、普段使っているモノからセルフイメージが浮かび上がってきます。

「もったいなくて使えない、すぐに壊しちゃいそう」と言って、高い食器をしまい込むのは、そのモノのランクと自分のランクが一致しないと感じているからです。

そうして、自分にその食器を使う許可を出さないため、「お客さま用」などという名目を立てて、棚の奥にしまっておく結果になるわけです。

＊モノを厳選すると、自分が好きになる！

セルフイメージというのは、自分で勝手に抱いているものです。

ですから、それを入れ替えることも「自分で」できます。

実は断捨離の狙いは、まさにこの点！

普段から厳選したモノを使うことで、自己評価が高くなる、自分のことが好

きになるということが断捨離の最大のメリットのひとつです。

部屋の中にあるモノを、ひとつでも多く〝とっておき〟に入れ替えていくことで、普段から「自分には素敵なモノがふさわしい」と自分に宣言する。

そして、そのとっておきのモノを使っていくことで、いつしか自然とモノと自分の波長が合うようになっていきます。グレードの高いモノを使うことに違和感がなくなり、しっくり馴染《なじ》むころには、セルフイメージもそれだけ引き上げられていきます。

これを繰り返し、繰り返しやっていくと、自己肯定感も高まって、やがては選ぶモノのグレードまで上がっていくというわけです。

「まあいいか、とりあえずコレで」という気持ちで選んだモノは、やっぱり「まあいいか、とりあえず」な扱いしかできません。

けれど、お気に入りのモノやとっておきのモノは、疲れていても大事に使いますし、手間がかかっても、それを手入れすること自体が愉しいものです。

いらないモノ、「まあいいか、とりあえず」と感じてしまうモノを断ち、「お気に入り」と「とっておき」だけに囲まれることで、人生はますます愉しくなっていくのです。

モノで寂しさは埋められない

断捨離の二日間セミナーでは、ある面白い企画を盛り込んでいます。

それは、セミナー二日目に「買ってからほとんど着ていない服」で参加するというものです。

ですから、その日は皆さん、ちょっと恥ずかしそうな、居心地の悪そうな、どこか落ち着かないといった面持ちで集まってきます。

その中に、三年前に買ったきり、一度も着ていないという、ちょっと奇抜な服に身を包んだノリコさんもいました。

ノリコさんがその服を買ったのは、おじいさまの葬儀の日。悲しみの席にはたくさんの親戚が集まっていましたが、なぜか誰もノリコさんには話しかけてくれず、なんとも言えない疎外感を覚えたそうです。

その場にいることがいたたまれなくなったノリコさんは、葬儀の合間の時間に、なんとなく駅前のデパートを訪れました。ひとりでぶらついていると、あるショップで店員さんが声をかけてくれました。

そのときノリコさんはとてもうれしい気持ちになり、店員さんのセールストークに乗せられるまま、三万円もするチュニックを購入したそうです。

ノリコさんはその服を見るたびに「なぜ買ったのか、わからない」と思っていました。好きなデザインでもなければ、どう見ても似合うものでもない。なのに、三万円も出して買ったのはなぜなのかと。

セミナーが進むにつれ、ノリコさんは「私は寂しかったんだ」と気づきました。まわりに無視されて寂しい思いをしていたとき、親切な店員さんの対応をうれしく感じて、好きでもない洋服を買ったのです。

＊「その場しのぎ」の満足感も断つ

私たちが人間関係を築いていくうえで基本となるのは、**「承認」**されることです。誰だって、誰かに認められ、必要とされてこそ、生きる喜びを感じることができます。

でも、**一番大事なのは「自分で自分を認める」こと**。そして、**「今、自分が感じていることを受け入れる」こと**です。これができれば、寂しさを埋めるために取り入れようとしていたモノを「断」つことができます。

誰かに評価を求めたり、モノで自分の価値を高めようとしたりしても、寂しさや不安という心のとらわれから解放されることはありません。

モノで寂しさは埋められない。そのことを再確認し、ノリコさんはチュニックを手放すことを決めました。

そして、これからは自分の寂しさを洋服やモノで埋めるのではなく、自分でしっかり受け止めようと、考えを切り替えたと言います。

これは後日談ですが、ブログにこの体験と写真を載せたら、「その服をゆずってくれませんか」というコメントが寄せられ、チュニックはもらわれていきました。

相手の方は「なかなかないデザインだ」と喜んで、愛用されているそうです。

DANSHARI column 3

「モノを捨てたら、後で困るかも……」という人へ

「モノを捨てて、後で困ることはありませんか？」

講演会や雑誌・新聞の取材で、よくこんな質問をされます。

この質問をくれるのは、皆さん「断捨離」未経験者。まだ困ってもいない段階で、未来の〝困りごと〟を想定しています。

これは、自分の人生から「困りごと」を排除しようとする気持ちの表われとも言えます。失敗することが怖かったり、困難にぶつかることをなんとか避けたい、そんな心の働きです。

けれど、人生から困難や失敗を完全に排除することは、誰にもできませ

ん。

そもそも、何かにチャレンジしようと思ったら、その過程で失敗することなんて、いくらでもあります。

困難、失敗、挫折……こうしたことは、人生をよりよく生きるためのハードル。

それを乗り越えるたびに、力強く、人生を生き抜くパワーが高まるのです。

今はこんなふうに断捨離を説いている、この私。これまで何度、捨てる失敗を経験してきたことでしょう。断捨離歴が長い分、その失敗の数も相当なものです。

けれど、モノを捨ててしまい、後から「しまった！」と思ったとしても、なければないで対応できるレベルのことではないでしょうか。

逆に、「なくても結構、大丈夫」と新たな自信を生むことだってあります。

＊「備える」から「憂い」が来る

「備えあれば憂いなし」と言いますが、断捨離では**「備えるから憂いが来る」**と考えます。

憂いが来るかも……と思っているから、本当にそうなるのです。どうせ備えるなら、「憂い」ではなくて、「希望」に備える方がずっと愉しいもの。

起きてもいない「困りごと」に焦点を当てて、何もせずにいるよりも、とにかく動くこと。動けば〝何か〟が変わります。

断捨離をする前に心配していたことなんて、実践した後に振り返ってみたら、きっと「なんで、あんなことに悩んでいたのだろう」と思うはず。

人生の困りごとはどうぞ避けないで。大いに困って、考えて、解決して。そうやって自分の手で変えていく人生のほうが、愉しいと思いませんか？

4章

スッパリと執着から「離れる」！

——自由で快活、さわやかな自分に！

「厳選のセンサー」が磨かれると心が自由になる！

「断捨離を始めよう！」という方にとって、何よりまず大事なのは「捨」と「断」という具体的なアクションを起こすこと。

しかし、実は断捨離には、まだ先の段階があるのです。

この章では、断捨離「中級編」のちょっとした導入として、「離」という状態や「場づくり」ということにも少しだけ触れておきます。

これまで無意識・無自覚だったモノと向かい合って、「捨」と「断」でモノのしぼり込みを繰り返していく。

「離」とは、その行動の先にある**〝執着から離れた自在で愉しい状態〟**です。

＊「競争」や「理想像」から抜け出た世界へ！

「捨」で見過ごしていたモノを意識する。

「断」でモノとの関係性に気づく。

この「意識化」と「気づき」は、いわば**モノを厳選するセンサーを磨くトレーニング**です。


最初は意識的にやっていたことも、次第に「習慣化」してくれれば、しめたもの。

ほしいと思ったモノを、ほしいと思ったときに、ほしいだけ手に入れても、それが自分にとってベストな選択になります。つまり、「今、自分に必要なモノを過不足なく！」と感じるようになるのです。

この**「厳選のセンサー」**はモノだけではなく、人間関係や出逢いなど、すべてにおいて発動します。

断捨離をしていくと「必要なときに、必要な人に出逢えた、必要なモノが与えられた！」という感想を抱く人も多いのですが、これはセンサーが無意識のうちに研ぎ澄まされた結果にほかなりません。

この状態に達すると、こだわりから解放され、満足も不満足もない軽やかな心でいられます。

他人との「競争」や目指すべき「理想像」といったものから、心が自由になった世界。

だから、愉しい。

断捨離では、「ゴール」や「目標」を設定しません。高い目標があると、そ

できなかった
自分を
許す!!
英会話が身につくCD
ゴミ
厳選センサーが磨かれる!!
ティッシュペーパー
今、必要な
分だけを
買う!!
大安売
特売!

れを達成できなかったとき、理想と現実を比べて自己肯定感がガクンと下がってしまうからです。

「開運」や「成功」という概念にすら、とらわれない——そんな伸びやかな自由さが得られるのも断捨離ならではです。

「変化刺激」が たくさんある毎日は愉しい！

これまでも繰り返し書いてきたように、**断捨離でもっとも重要視するのは「今」**という時間軸です。

たとえば、まとめて買えば安いからと野菜をたくさん買い込んだとします。いくら新鮮な野菜でもなかなか消費しきれなければ、鮮度は落ちていく一方です。青々していて立派だったほうれん草もしわしわになり、赤くみずみずしいトマトもハリがなくなっていく……。

モノを最大限に活かすためには、**「今、それが必要かどうか」という時間軸**

が大切です。

それも、世間の流行や「今だけ○○円！」といった他人の「今」でなく、自分の「今」でいいのです。

過去のモノであったとしても、「今」役に立つのであれば、モノの時間軸は過去から今へ移っていきます。

たとえば、古い資料でも、これからもずっと必要になると自分が思うのなら、捨てる必要はありません。「資料は何年経ったら捨てる」といったルールにこだわることはないのです。

＊とらわれない、こだわらないための一番の秘訣！

大事なのは**「変化刺激」を与える**ということ。変化がなければ、心は飽きてしまいます。

私は長い間、ヨガの指導員をやっていましたが、ヨガをやりなれた人がポーズをとるよりも、「まったく初めて」で体がコチコチの人がやったほうが、大きな「変化刺激」となり、心も体も活性化するものです。

「今」をどんどん更新していき、常に変化刺激を与えることが、とらわれない、こだわらないための一番の秘訣です。

モノというのは、自分自身の投影された姿を表わしています。

だから、お気に入りのモノを「今」活かしてあげること、常に新しく変化させていくことが、私たちの輝きを内面から引き出すことになるのです。

断捨離で家が「パワースポット」に！

ここ数年、「パワースポット」巡りが流行となっています。

国内外を問わず、さまざまな場所がメディアで紹介されていて、多くの方が各地を訪れています。

きっと誰もが「幸せになりたい」という願いを抱いて、見えないパワーをいただきに行っているのでしょう。

こうした見えない世界を信じることや、パワースポットに行くことは決して悪いことではありませんし、否定するつもりもありません。

けれど、何事にも順番というものがあります。

パワースポットに行って、エネルギーをもらったとしても、住まいがガラクタという邪気だらけだったら、果たして人生は好転していくでしょうか？

家というのは、毎日の疲れを癒し、エネルギーを充電する場所であるべきです。

ガラクタを捨て、今の自分に必要なモノだけを選び、厳選されたモノだけが残る空間に整える。

こうして、**家そのものを「パワースポット」にする**というのが、断捨離の考え方です。

神社仏閣を訪れると、モノや情報があふれる街中とは明らかに異なる、清々しい〝気〟を誰もが感じます。ムダなモノがなく、掃き清められた場所では、気が浄化されているものです。

断捨離をしたら、枯れかかっていた部屋の植物が元気になったと言う人もいます。もちろん、植物に気配りができるようになり、水やりや手入れを適切にできるようになった結果であるかもしれません。

ですが、やはり**「キレイに整えられた空間」には、それだけ「いい気」が満ちていて、植物にもいい影響を与えていても不思議ではありません。**

＊部屋が片づくと「いい気」がいっぱい！

私たち人間も、植物と同じです。

東洋医学では体中にエネルギーの通り道である〝気穴《きけつ》〟があるとされています。暑いときには毛穴が開いて汗を出し、寒いときには閉じて体温を一定に保っているように、気穴もよい気があれば開いて取り入れ、悪い気があれば閉じて入れないようにしています。

空気のキレイな場所へ行くと、思わず深呼吸したくなるのは、体の無意識な反応です。

そう考えてみると、部屋が悪い気で満ちていたら、気穴も閉じっぱなしで息苦しくなります。

こうしたことは、理屈では説明が難しいので、やはり体験してもらうしかありません。

多すぎるモノでごったがえしている部屋にいて、「何かいいこと起きないかな」と思っていても、それは無理というものです。

願うより、まずは目の前のガラクタひとつ、取り除くことから。

そして、いいことについては「天におまかせ」という心持ちでいることです。

「直感」が冴えて、迷わない

断捨離の不思議な作用の中に、「直感」が磨かれるというのがあります。

「知識を得たいのなら、毎日増やしていくこと。
知恵を得たいのなら、毎日取り除いていくこと」

これは、古代中国の哲学者・老子《ろうし》の言葉ですが、断捨離を始めてモノを削ぎ落とし、自分と向き合うことで得られるのが、もしかすると研ぎ澄まされた感覚なのかもしれません。

〝虫の知らせ〟のように、不思議な確信がある感覚は、誰でも何かしら経験があるのではないでしょうか。

たとえば、「違和感」もそのひとつです。

実は、直感にも**「陰の直感」**と**「陽の直感」**があるのではないかと思っています。

「陽の直感」というのは、「いいこと」のヒントとなるインスピレーション。このひらめきは、「やってもいいよ」というゴーサインです。

一方、「陰の直感」というのは、変とか邪魔とか、なんだか違和感があるな、というようなストップサイン。

たとえば、文章を書いていても、ちょっとした違和感を抱くことがあります。書いていても、声に出して読んでみても、どうもしっくりこない流れの悪い箇所があるものです。

そこを直していくと、文章全体がとてもスムーズに流れて、伝えたいことが明確になります。

こういう違和感を大切にすることは、自分の自信になります。やっぱり変だったわね、直してよかったわ、自分は間違ってはいなかったと心の底から思えるからです。

＊「なんかイヤだな」の感覚を無視しない

ところが、その違和感を「思考」で封じ込めてしまうことがあります。

ある人と話をしていて、なんだかイヤな気持ちになった。

でも長いつき合いだし、お世話になったこともあるし、いい人だから気のせいだと封じ込めてしまう。

でもここで、違和感にきちんと向き合えば、その正体を明らかにすることができるはずです。

これはモノについても同じこと。「これはもう自分に合っていないモノかも」という直感があっても、「でも、もらったモノだし」「使うことがあるかもしれない」などと思考で蓋をしてしまう。

せっかくモノが発してくれている「始末をつけてくださいね」というメッセージに対して、つい見て見ぬふりをしているケースは多いのです。

＊「陰の直感」は自分のためのメッセージ

私たちは、「コレ、ほしい！」という感覚にはすぐに従うくせに、「これはいらない」という陰の直感は見ないふりをすることがよくあります。

それは、「陰の直感」を受け取ると、ちょっと怖いような、不安な気持ちがしてしまうからです。

けれど、「ストレスを感じているよ」「もっと自分を大事にして」と、私たちを助けるために発せられているのは、いつだって「陰の直感」のほうです。

これからは、自分の「違和感」を大事にしてみる。

そして、その大事な直感も味方につけてモノと向き合う。

陰と陽は二つでひとつです。陰の直感が敏感になるということは、陽の直感も鋭くなるということ。

断捨離の経験値が上がっていくと、パッとモノを見たり、触れたりしただけで、すぐに自分にとって大事なモノか否かがわかるようになっていきます。

見えるモノを整えると、見えない「運」まで調い始める

かつて、

「その家の運気というのは、実はホコリの量と色の黒さでわかる」

と言った運命学者の方がいました。

仕事柄、たくさんの片づかない家を見てきましたが、「なるほどな」と実感しています。

断捨離では、使えるけれど使う気のしないモノが放つ運気を**「停滞運」**、ホコリが発する運気を**「腐敗運」**と呼びます。

また、ただ放置されているモノや捨てることを先送りしているモノから発せられているのは**「とらわれのエネルギー」**だと考えます。

このエネルギーは、「使ってくれよ」「無視されて寂しいよ」というモノの叫びが生み出しています。

ガラクタだらけで雑然としている部屋は、混乱やとらわれといったネガティブな要素が堆積しているのと同じ。

ここでもっとも大事なことは、ガラクタやゴミ、ホコリを取り除くことで、停滞運も腐敗運も、モノが発する負のエネルギーも、すべて取り除けるということです。

＊「運気のメカニズム」はこんなにシンプル！

「運」は「運ぶ」という文字でもあるように、住まいから「不要・不適・不快」

なモノたちを運び出せば、自ずと「必要・適切・快適」なモノたちが運び込まれてきます。

これが断捨離の言う、新陳代謝であり、運気のメカニズムです。

住環境は、自分で変えることのできる「一番身近な世界」です。

ここを整えれば、自然と心も頭の中も、そして運気さえも調っていくのです。

自分の目の前の世界が整ったとき、見えない世界も調い始めます。

そしてそのとき、人生に思ってもみなかったような変化が運ばれてくるのです。

この「居直り」と「潔さ」が大切

断捨離は、さまざまな**「居直り」**を勧めています。

「そもそも、モノがあるから片づかない！」と自分も人も責めないこと。
「自分が大切にするモノこそ、素晴らしい！」という気持ちに至ること。
「捨てて困ったら、そのときはそのときだ」と潔く決断すること。
すなわち、どの「居直り」も、**「視点の変化」**と言い換えられます。

一方、**「居直る」の反対は、「居着く」**です。

「居着く」＝「変わらずにいる」というのは、「変化」や「新陳代謝」とは正反対。つまり、よどんだ気が生まれてしまいます。

私たちは住まいや部屋に対してだけでなく、自分の考え方に固執《こしつ》したり、人に対しても執着の気持ちを抱きがちです。

けれど、視点を変えてみると、これまで見えなかったことがたくさん見えてきます。

たとえば、**モノというのは使ってこそ価値が生まれる、**ということ。

何万円もした高級羽毛布団も、押入れの中で眠っていたら、ただの邪魔な布と羽毛です。

さらに、**モノというのは、あるべきところにあって美しい、**ということ。

髪の毛は頭にあったら美しいけれど、床に落ちていたら汚いと感じます。ご飯だって、お茶碗に盛られていればおいしそうですが、流しに落ちていたら、やはり汚いモノに思えます。
モノ自体は何も変わらないのに、使われていなかったり、あるべきでないところにあったりするだけで、その価値が大きく下がってしまうのです。

＊「私が大事にするモノこそ、素晴らしい」

『方丈記』の冒頭にこんな有名な一文があります。

ゆく河の流れは絶えずして、しかももとの水にあらず

川の流れは常に新しくなっています。単に水が流れているだけのようですが、よくよく考えてみれば、常に新しい水に入れ替わっているから、よどみなく美しい流れとして見えていることに気づきます。

同じように、私たちの部屋の相（カタチ）も変わっていくのが自然です。何年も前から使われないモノで景色が同じになっているというのは、そこによどみがある証拠。

今一度、**「私が大事にするモノこそ、素晴らしい」という居直り**をして、自分の部屋をガラリと変えてみませんか。

そこには、新しい人生の流れが生まれて、驚くような〝何か〟が流れてくるかもしれません。

5章

「断捨離」で、こんな〝いいこと〟やってくる！

――恋愛、お金、仕事、人間関係……うれしい変化、続々！

部屋の「つまり」を取るだけで人生の流れが変わる！

モノを捨て、部屋が整ってくると、自然と「人生の流れ」に変化を感じ始める人が多いようです。

自分自身のことを書けば、最近、特に人間関係の変化を強く感じます。

「今、自分が出逢うべき人とは、必ず出逢えるようになっている」

そんな実感を抱かせる出逢いが、次々と巡ってくるようになったのです。

断捨離によって部屋の「つまり」を取り、気の流れがスムーズになると、目に見えないネットワークがどんどん広がっていくような気がします。

＊気づいたらビックリするような〝ごほうび〟が！

断捨離は、風水のように「○○の運気がほしいから、どこかをキレイにする」というような目的主義のメソッドではありません。
また、何かを手に入れることを主眼とする「獲得系」のメソッドでもありません。

モノを捨て、執着を手放すことで、気づいたら自分にとって望ましい結果や、シンクロニシティーのような素敵な偶然が、人生に流れ込んでくるというのが断捨離です。

イメージするならば、サラサラと流れるようになった川の上流から、見たことのない箱がどんぶらこ、どんぶらこと自分の手元に流れてきて、開けてみたらビックリするような〝ごほうび〟が入っていた、という感じ。

もちろん、どんな変化につながるかは、人によって千差万別です。

けれど、このとっても不思議で、とってもうれしい変化は、断捨離を実践した人だけが実感できるものなのです。

「断捨離ダイエット」で十一キロ減！

「部屋の中のモノが減っていったら、なぜか体重や脂肪まで減っていきました」

断捨離を実践している人からは、そんな声がたくさん寄せられます。最近ではそれが**「断捨離ダイエット」**などと呼ばれ、中には十一キロの減量に成功したという方も。

でも、これも当然と言えば当然のこと。なぜそうなるかをお話ししていきます。

私たち人間の体は、心身共に健康であれば、食べたいだけ食べても問題ありません。太りすぎることもありませんし、健康を害することもありません。それは、体に備わったセンサー（ヨガでは「内在智《ないざいち》」と呼びます）が正常に働いて、食べ物の「量」と「質」を自動的に選び、コントロールしているからです。

ところが、何らかの理由で心身が不健康な状態になると、その機能に不具合が生じます。

すると、ストレスで食べすぎたり、飲みすぎたり、同じものばかりを食べたりするようになります。

最近は健康ブームで、「美容にはコレ」「メタボ予防にはコレ」などと、特定の食べ物が紹介されていますが、それを鵜呑みにして、ひとつのモノを食べ続けていたらどうなるでしょうか？　誰だって、体に不調をきたすはずです。

要は、**食べ物自体ではなく、食べ方や量、質の問題**なのです。

食べ物には、よい悪いはありません。太りすぎたり、体調を崩したりしてしまうのは、食べ方が適切でないからです。

＊「食べても太らない体」が手に入る！

また、自分のベスト体重よりも太ってしまう人は、お腹いっぱいであっても「もったいない」からと、いただきもののお菓子や子どもが残した食事まで、無理やり食べています。

こうした生活を続けていると、体のセンサーが鈍くなり、満腹感を感じにくくなるのです。

断捨離の基本、覚えていますね。

「自分軸」と「今の時間軸」です。これを食べ物に反映させると、

「自分が今、食べたいかどうか」

これに従って判断し、食事をしていれば、太りすぎることも健康を害することもありません。

断捨離では、**「無意識」「無自覚」なことを「意識化」していく**というプロセスをひたすら繰り返します。

なんとなく一日三食とり、おやつまで食べていた無自覚な食生活を「断」ち、お腹がいっぱいなら食べ物を「捨」てることも認める。

すると、捨てるのはもったいないから「買いすぎない」「つくりすぎない」と感覚が研ぎ澄まされていくのです。

常に「自分は今、食べたいのかどうか」を意識して、目の前の食事と向き合う。すると、自然と自分にとってベストな量と質の食事ができるようになります。

美肌を目指すにも、ダイエットをするにも、一番頼りになるのは他ならぬ自分が持っているセンサーです。

そして、断捨離を実践することで、このセンサー（内在智）は磨かれていくのです。

モノでも食べ物でも、今の自分に「不要・不適・不快」であれば捨てる。このアクションが、センサーを磨くことになります。

自分のセンサーをフル稼働させて、冷蔵庫の中を見直してみると、さまざまな「余分」が見えてくるはず。見えてきたら、「断」と「捨」を繰り返すのです。

そうすることで、無理なく自分本来の美しい体型にシェイプアップされていきます。

なぜかお金が貯まり出し、家族運も急上昇！

断捨離の基本はモノを減らすこと。

そのせいか、一時流行った「節約」や「清貧」と勘違いする人もいます。しかし、断捨離は節約自体を目的にしていません。

ですが、モノと向き合い、自分にとって必要なモノを厳選する過程で「ムダな出費」がなくなっていき、不思議とお金が貯まっていく傾向があるのもたしかです。

ある女性は、断捨離をしていくうちに、「片づけ」と「家計の引き締め」を同時進行すれば相乗効果があるはずと、領収書の山と格闘を始めました。

それまでは気分にまかせて買い物をしていたため、後でレシートを見ても何を買ったか思い出せないことも多く、自分の無自覚さを認識したそうです。

また、セールや通販カタログでの買い物などで、つい浪費をしてしまっていたので、「毎月、自分が好きに使えるお金」をあらかじめ設定。その予算の中で、いかに有効にお金を使うかを考えたところ、ムダな買い物が激減したというのです。


自分にとって本当に必要なモノを厳選していくうちに、お財布の中がレシートでいっぱいになることもなくなり、いつもいくらお金が入っているのかが把握できるようになったとか。

「ダラダラと過ごしていた時間」が、「片づけと節約の断捨離タイム」に切り替わって、毎日がとても充実しているそうです。

＊「過去の遺物」が思わぬ収入に！

一方、一家揃って断捨離を始めたというご家族は、休日の愉しみとして「捨てるモノ探し」を始めました。

「これは今、自分に必要なの？」と互いに声をかけ合い、古い服はファッションショーのようにあれこれ着てみて、品評会さながら「もう似合わない」と感じたら捨てることに決める、というルールを設定。

過去の遺物となっていた使わないカメラや、ブランド品もごっそり出てきたため、みんなで古着屋やリサイクルショップへ持って行ったそうです。

最近では家族で出かけることも減っていたそうですが、断捨離を通じて会話も増え、気がつくと家族の捨てたモノが、一万円以上の収入になっていたとか！

今では断捨離が家族をまとめる愉しみになった、とたいへん喜んでおられました。

また、知らず知らずのうちに溜まっていた、四十七冊ものお金に関する成功本を捨てたら、疎遠になっていた両親から突然、生前贈与として大きなお金が流れ込んできた人もいます。

もちろん、これは特殊なケースですが、本当に「お金は天下の回りもの」だと実感したお話でした。

もう「人間関係」で振り回されない！

断捨離をしていくと、モノに対してだけでなく、人づき合いにおいても「自分」という軸がしっかりしていきます。

すると、知らず知らずのうちに**「他人優先」になっていた人間関係にも変化が生まれる**ようになってきます。

誰の心の中にも、「いい人」に思われたい私、悪く思われたくない私が住んでいます。そのせいで、本当は行きたくない飲み会に行くことになったり、愛想笑いをすることになったりして、すごく疲れます。

「自分のことはいつも二の次」「他人に振り回されてばかり」で、相手に都合のいいようになってしまうのは、実は、

「いつか誰かが、このぱっとしない毎日から救い出してくれるんじゃないか」という、他者への期待があるからかもしれません。

しかし、その場だけ取り繕って、他人をうまくごまかせたとしても、自分自身をごまかすことはできません。

相手に期待して、それが裏切られれば「不満」が溜まります。こんなに自分は我慢しているのに、見返りはないのか……と。

すると、そんな自分がイヤになることも多く、自分を責めたり、さらにまた他人を責めたりの繰り返しになりかねません。これでは、毎日がとても苦しいものになってしまいます。

＊終わった関係は「断つ」というチョイスもある

人間関係においても、やはり「断」と「捨」をすることは必要です。

みんなに好かれたいという気持ちはわかりますが、十人いたら十人、すべての人に好意を持たれるなんて、現実的には到底無理なこと。そうして、いい人になりたいと思うあまり、かえって人間関係を損なっている可能性のほうが高いのです。

断捨離をして自分軸をしっかり築いていくと、他人の顔色とは関係なく、自分を認めてあげられるようになっていきます。

部屋が片づき、自分の望む状態がつくり出せていると、いつでも「私は大丈夫」と自立した状態でいられるようになります。

人間関係も入れ替わり、新陳代謝が起こっています。

昔お世話になった人、友達だった人たちとも、その関係性がいつまでも保てるとは限りません。

「今の自分にふさわしい人かどうか」という自分軸で考え、もしも関係性がすでに損なわれていると気づいたなら、思い切って断つことです。

関係性を断つとは、決してその人を否定することではないのです。

＊「いい人」をやめると気持ちが晴れ晴れする

あるセミナーの参加者にこんな女性がいました。

長年、ずっと仲よしグループで行動してきたマドカさん。休みの日の外出も、いつも同じメンバーと。その日のプランは、その場の流れでなんとなく決めていました。

でも、断捨離を知ってからは、「自分は今どうしたいか」を真剣に考えるようになり、ある日思い切ってグループの約束を断り、スキルアップのため、仕事関係の勉強会に参加したそうです。

そこでは、普段あまり接することのない人たちとたくさん会話ができ、たいへん刺激になったとのこと。

「ちょっとレベルアップした感じです」

と屈託《くったく》のない笑顔で話してくれました。


みんなにいい顔をして疲れるくらいなら、そのエネルギーを全部自分に向けて、自分自身にいい顔をすることです。

「自分自身を大切にもてなす」ことができるようになると、いずれは「相手を大切にもてなす」ゆとりが生まれてきます。

相手のことを考えるのは、自分軸がしっかりとできてから。この手順を踏んでこそ、人間関係はスムーズに回っていくようになるのです。

「心のお荷物」がすっかり軽量サイズに！

ストレスの原因は人によってさまざまですが、多すぎるモノは誰にとってもストレスのもととなります。

モノを捨てることで得られる精神的なメリットは、大きく分けると二つあります。

ひとつは**「モノを捨てる行為そのものがストレス発散になる」**というもの。

洋服、バッグ、靴を三十アイテム、本やＣＤを百点、書類を六十枚、ボールペンを二十五本、ガラクタをまとめてゴミ袋十袋分……これは断捨離実践者が一度に捨てたモノの一例です。

捨てる量が多ければ多いほど、モノを捨てたときの達成感と、空間の開放感は大きくなります。

それに、モノの量が減ってスッキリすると、毎日の外出時も旅行に行くときも、持っていくモノを選ぶ時間や重い荷物によるストレスもなくなります。

こうした日常のちょっとした心の負担が減ることは、精神的には大きなメリットがあります。

そして、もうひとつのメリットは、**「モノを捨てると自分を好きになれる」**ということです。

部屋がスッキリと片づくと、不思議とその部屋が好きになります。部屋にいる時間が愉しくなり、お気に入りのモノに囲まれて過ごす自分自身も好きになる。すると、自然と笑顔でいられる自分に変わります。

＊「イライラしていた自分」がまるで嘘のよう！

ナオミさんは、近所に住む友達の突然の訪問が苦痛でなりませんでした。片づけても片づけても散らかす子どもに手を焼き、そのうち疲れて片づけがおっくうになり、部屋は乱雑なままに。かろうじてリビングだけはキレイに整えたとしても、隣の和室はぐちゃぐちゃ。

そして、連日のように自分の都合に合わせて遊びに来る友達にイライラし、自分の子どもが和室を開けようものなら、ストレスは一気にピークに達したそうです。

自分の家なのに落ち着かない。そんな状況と決別するために、和室の断捨離を決意しました。モノを減らして部屋が散らからなくなってからは、自然とイライラすることはなくなったそうです。

すると、**「いつ誰が来ても、大丈夫」という安心感**がわいてきて、精神的にとてもラクになったと言います。

そして、以前に比べてイライラしない自分を好きになったそうです。

ストレスはとてもやっかいな、心のお荷物です。

ですから、少しでも減らし、少しでも軽くしていくこと。モノが厳選され量が減っていくにつれ、心も軽やか、かつ穏やかになっていきます。

「最短タイム」で「最高の成果」がやってくる！

仕事の効率を上げるには、エネルギーを奪う膨大なモノから解放された空間をつくることです。

「今」という時間に集中して、着実に仕事をこなしていけるように、まずは机の上の断捨離を。

具体的には、ひとつの仕事が終了したら、その仕事に関する資料はすべて捨てます。

それが難しいのであれば、捨てることをためらいがちな書類は、「三カ月」とか「六カ月」といった具合に保管期限のルールをつくると、「捨てる・捨てない」の線引きが明確になります。

＊デスクまわりに置くのは「最強メンバー」だけ

さらに、机の上に書類などを並べる際には、「ファイルボックス二個まで」など、**自分なりの総量規制を設けて、そこに入りきらなければ捨てる、入れ替える**という目安をつくることも大事です。

机の引き出しや足元も同様です。見えないからと資料やモノを押し込んでいたら、やはり集中力を下げる要因になります。

今やるべき仕事があるのに、なんとなく目に入った筆記用具を触ってみたり、別の書類や参考資料を開いたりしているなら、それは間違いなくエネルギーや時間を奪うモノが身のまわりに多いということです。

さらにパソコンの中身も見直してみると、たくさんのガラクタ情報が溜まっていることがあります。散らかり具合がわかりやすい部屋とは違い、フォルダに入れてしまえば邪魔にならないようにも思えますが、「溜め込んでいる」ことに変わりはありません。

仕事をするデスクには、いつも使う「最強メンバー」となるアイテムだけを残すこと。これが、仕事の効率を上げるための必須条件です。

ですが、すべてを一度にやろうとしないで、日々「いるモノ・いらないモノ」の判断を繰り返していけばいいのです。さらに、このデスクと思考の整理は、仕事のスキルアップにもつながります。

＊仕事がしやすくなる“作業空間”をつくる

都内で営業職についている、タカヒロさんは「仕事の優先順位を決めるのが苦手」という悩みを抱えていました。

目の前の仕事に集中しようと思っても、周囲の目や動きが気になって、お客さまへ渡す資料づくりが遅れたり、かけなければいけない大事な電話が後回しになったりしてしまうそうです。

机の上にはたくさんの資料が山積み。でもよく見てみると、資料の日付が半年前ということもあったとか。

そこで、休日返上で机の上の断捨離を始め、ひとつひとつモノと向き合いました。

そうして机の上のモノが半分になったころ、

「モノを選ぶことは、仕事の優先順位をつけることと同じだな」

と思うようになったそうです。

それからも毎日、断捨離を続けた結果、今では「仕事の効率が格段に上がったなあ」と上司に言われるまでに。営業成績も上位に入ったと、自信あふれる笑顔で語ってくれたのが印象的でした。

がーん
3年前の書類!?

今あるモノを単に整理して片づける、というより、**どうしたら仕事をしやすくなるのかという視点を持って、机という作業空間をクリエイトする。**

それが、仕事の効率を上げるコツです。

「過去の思い出」を整理したら〝新しい出逢い〟が！

断捨離を実践した方からのお便りで、意外なほど多いのが「恋愛」についての報告です。私のごく身近なところでも、断捨離をしたことで人生の伴侶《はんりょ》を得たり、電撃婚をしたりした人が少なくありません。

モノを捨てるということは、**「自分にとって必要なモノを受け入れるスペースをつくる」**こと。

そこに流れ込んでくるのは、モノだけではありません。〝必要な人〟であることも少なくないのです。

不要なモノを捨てずして、必要なモノを受け取ることはできません。まずは、つまりを取る、スペースを空ける。そして後は、自然と流れ込んでくる〝いいこと〟を愉しみに待つ。

すると、**「運命的な出逢い」**だってやってくるのです。

＊「この人しかいない！」相手に出逢えた！

すでに出版されている拙著の中でご登場いただいている、「傘百本の逸話」を誇る女性もそのひとり。

この女性の家には、家族三人暮らしにもかかわらず、気がついたら傘が百本もありました。モノを捨てられないご両親との格闘の末、彼女は親ともモノとも向き合い、徐々にモノを捨てていきました。

すると、恋愛面でも劇的な変化が訪れたと言います。それまでは、おつき合いする人は「なんとなく選んだ人」で、相手に流される恋愛ばかり。

ところが、モノを捨てる過程で徹底的に自分と向き合ううち、自分の心にも誰かを受け入れるゆとりが生まれてきました。

ちょうどそのころ出逢ったのが、今の旦那さま。人生で初めて「この人しかいない！」と思い、自分からアプローチしたのだと言います。

お相手は韓国人の方で、断捨離についても理解があるとか。互いの文化の違いからくる食い違いはあるものの、断捨離で磨いた徹底的に相手（モノ）と向き合うスキルを活かして、家族みんながごきげんでいられるよう、日々奮闘中だそうです。

＊“前向きな別れ”もある

また、不毛な恋愛関係を自ら断捨離した方もいます。

三十代のＯＬ・ジュンコさんは、恋人と呼びきれない男性との関係で揺れていました。お互いが忙しくて、会えるのは一カ月に一度。他の女性の影もチラついているものの、問いつめてフラれるのが怖くて、本音をぶつけられないいまま関係を続けていました。

できたら、その人と結婚したいし、何より、ひとりになるのが怖い。

でも「今、自分に必要な人なのか」と心に問うてみると、答えは「ＮＯ」でした。

うわべだけの関係を続けていることで、実は自分を追いつめ、傷つけている。

そう気づいたとき、携帯のメモリーから彼の電話番号を消去できました。

いつまでも振り向いてくれない相手に、どこかビクビクしながら合わせていた自分。その関係を断捨離したことで、思いがけないほど心は軽やかになったそうです。

新しい出逢いあり、前向きな別れあり……そこには人の数だけ、さまざまな恋愛ドラマが繰り広げられます。

結婚や恋愛は、たしかに人生における、とても大きなターニングポイント。

でも常に「自分にとって必要かどうか」という軸さえブレなければ、必ず幸せにつながるのです。

肌のツヤも睡眠も面白いほど改善！

53ページで片づかない部屋を便秘にたとえました。

食べても出ていかない、そんな状態が長く続いたら、体調も肌の調子も悪くなりますし、睡眠だって阻害されていきます。


同じように、もし長い時間を過ごす部屋にホコリや汚れがいっぱい溜まっていたとしたら、当然その部屋の空気も汚れます。

その空気を吸い続けることで、頭痛がしたり、息苦しくなったり、疲労感が取れなかったりと、体の調子が悪くなることもあるでしょう。

体調が悪くなれば、当然、心のバランスも崩れやすくなっていきます。

＊住まいを整えれば、健康も調う！

長年、慢性鼻炎に悩まされていたハルナさんは、断捨離を実践した友人に「その鼻炎、部屋の空気が汚れているからじゃない？」と指摘され、自分の部屋の隅にうごめくホコリが脳裏に浮かびました。

部屋の掃除といっても、モノを置いていない、わずかに見えているところの床を拭く程度。けれど、よく見るとモノの上やカーテンには、びっしりとホコリが堆積していました。

そのホコリの存在に、なんとなく気づいてはいましたが、モノを動かすと余計に部屋が汚れてしまいそうで、カーテンの開閉もせず、昼間も暗い部屋の中で過ごしていたそうです。

友人の言葉にハッとしたハルナさんは、ホコリをかぶったモノの大部分を捨て、ホコリで灰色になっていたカーテンを洗濯しました。

窓も開け放ち、新鮮な空気と明るい光を部屋いっぱいに入れると、まるで**エネルギーの入れ替えをしたような気分**になったそうです。

「もともとはパステルピンクだったカーテンが、グレーになるほどホコリで汚れていました。カーテンを洗濯して、モノを捨ててからは、ちょっとのホコリにも気づくようになって、部屋の空気も格段にキレイになったと思います。

そのおかげか、鼻炎もおさまってきました。毎日、気持ちがスーッとして、よく眠れるようになったので、肌の調子もいいんです」

とハルナさん。

部屋のホコリや汚れがなくなり、光が差すようになれば、自ずと体調がよくなるもの。気分がよいと寝つきもよくなり、短時間でもぐっすり眠れるようになり、心身共に健康になれます。

住まいという環境を整えることは、健康を調えることにもつながるのです。

おわりに……断捨離――たった3文字の経典をどう読み解いて、どう実践しますか？

断捨離、いかがでしたか？

ある方が、「断捨離って〝埋没経〟ですね」という感想を漏らしていました。これまでは誰にも顧みられることなく、ひっそりと埋もれていた経典。私はそれを、ヨガ道場でたまたま拾ってしまったのかもしれません。

そう考えてみると、**断捨離はたった三文字の経典**です。
この経典をどう読み解いて、どう実践していくのか、はたまた何が得られるのかは、あなた次第です。

私たちは、日々いろんな期待を抱いてしまいます。
これを買ったから便利になるはず、
これをしてあげたのだから、お返しがあるはず、
断捨離をしたのだから、いいことがあるはず……。

こうした気持ちは、わからないではありません。

でも、どうか結果を手に入れようとするのではなく、いったん手放して、後は「天におまかせ」しておきましょう。

人生の「つまり」が取れたら、あなたのもとにも、きっと素敵な何かが流れ込んできます。それは期待などという小さな枠を軽々と飛び越えた、想定外のものに違いありません。

そんなことが起こったら、ぜひご報告くださいね。

ご縁があって、本書を手にしてくださったあなたの人生が、毎日〝ごきげん〟であることを。

そして、その〝ごきげんエネルギー〟が家から社会へ、日本から世界へ、さらには地球全体へ広がっていくことを祈りつつ。

やましたひでこ

本書は、本文庫のために書き下ろされたものです。

不思議《ふしぎ》なくらい
心《こころ》がスーッとする断捨離《だんしやり》

著者　やましたひでこ
発行者　押鐘太陽
発行所　株式会社三笠書房
〒102-0072 東京都千代田区飯田橋3-3-1
電話　03-5226-5734（営業部）03-5226-5731（編集部）
http://www.mikasashobo.co.jp
印刷　誠宏印刷
製本　宮田製本

 ISBN978-4-8379-6599-2 C0130

＊落丁・乱丁本は当社営業部宛にお送りください。お取替えいたします。
＊定価・発行日はカバーに表示してあります。

王様文庫

王様文庫

読むだけで運がよくなる77の方法

シリーズ累計24カ国で2600万部突破！ 365日を〝ラッキー・デー〟に変える77の方法。朝2分でできる開運アクションから、人との「縁」をチャンスに変える言葉まで、「強運な私」に変わる〝奇跡〟を起こす1冊！ 『〝こうだといいな〟を現実に変えてしまう本！』（浅見帆帆子）

リチャード・カールソン【著】
浅見帆帆子【訳】

小さなことにくよくよしない88の方法

この「小さいことにくよくよするな！」シリーズは、24カ国で累計2600万部を突破した世界的ベストセラー。その中でも本書は精神科医、和田秀樹氏絶賛の〝超実用的な一冊〟！ 職場でも家でもデートでも、心が乾いた時に〝即効で元気になれる〟と大評判！

リチャード・カールソン【著】
和田秀樹【訳】

自分のまわりに「不思議な奇跡」がたくさん起こる！

全世界4600万読者を持つスピリチュアル・マスター、ダイアー博士のミラクル・ワールド！ この本の「教え」を実践すると……★イライラ、不安が解消する ★病気が改善し、健康になる ★お金の心配から自由になる ★不思議な偶然に出合う……うれしい奇跡が続々！

ウエイン・W・ダイアー【著】
渡部昇一【訳】

K30203

「いいこと」がいっぱい起こる！ブッダの言葉

植西 聰

シリーズ43万部突破！　毎日を楽しく生きるための、最高の指南書！　ブッダの死後、ブッダの言葉を生で伝えたとされる最古の原始仏典『ダンマパダ（真理の言葉）』が、わかりやすい現代語に。数千年もの間、人々の心を照らしてきた〝言葉のパワー〟をあなたに！

心にズドン！と響く「運命」の言葉

ひすいこたろう

本書は、あなたの人生を変える54のすごい言葉に心温まるエピソードを加えた新しい名言集。成功する人は成功する前に「成功する言葉」と、幸せになる人は幸せになる前に「幸せになる言葉」と出会っています！　1ページごとに生まれ変わる感覚を実感して下さい。

3日で運がよくなる「そうじ力」

舛田光洋

10万人が実践し、効果を上げた「そうじ力」とは――①換気する②捨てる③汚れを取る④整理整頓⑤炒り塩、たったこれだけで、人生にマイナスになるものが取りのぞかれ、いいことが次々起こります！　お金がたまる、人間関係が改善される……etc. 人生に幸運を呼びこむ本。

K30204